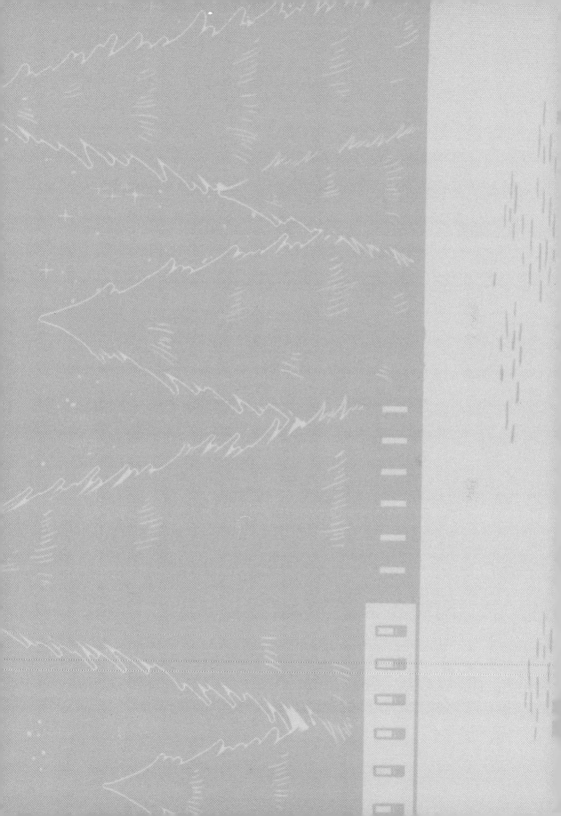

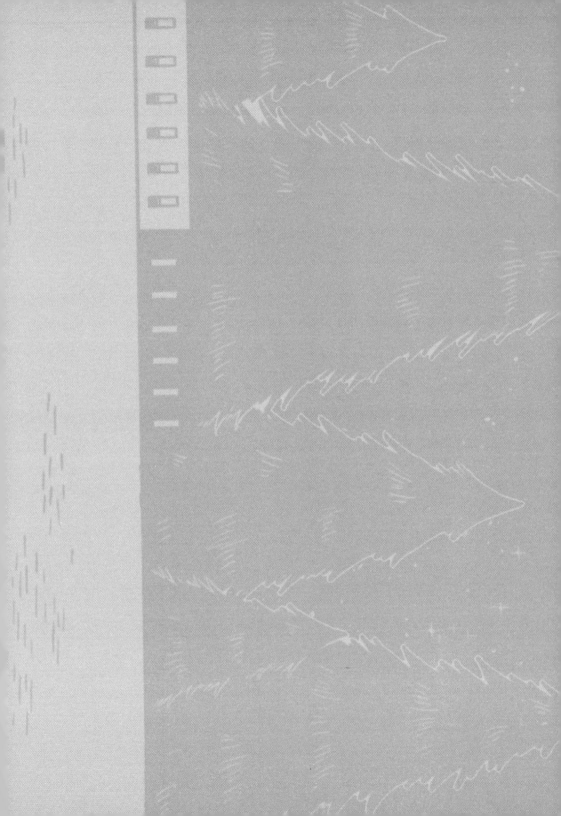

굿바이 프로젝트

2

비아북
ViaBook Publisher

작가의 말

안녕하세요, 맘마입니다.

『굿바이』의 단행본이 나오게 되었습니다. 기다려주신 독자분들께도, 저에게도 기쁜 일이라 행복합니다.

『굿바이』 프로젝트는 삶과 죽음에 대한 이야기입니다. 죽음이 이루 헤아릴 수 없는 권태를 맞이한 시대를 배경으로 하고 있는데요. 인간이 바라는 모든 복지가 완벽하게 구현된 통합정부국에서 이야기는 시작됩니다. 정부는 의식주를 모두 해결해주는 복지 서비스에 이어, '헤피필스'를 만들어냅니다. 병의 회복과 수명 연장을 약속한 해피필스는 순식간에 펼쳐 전 국민의 환호를 얻습니다. 그러나 완벽이 언제나 행복의 동의어로 남아주지는 않습니다.

의식주의 완전한 보장과 병의 치료, 수명 연장. 사람들이 원하는 복지 국가의 이상이자 완벽한 삶. 언뜻 듣기에 이를 원하지 않는 사람은 없어 보입니다. 누가 거절하고 싶을까요? 그러나 완전무결해진 인간의 삶을 손에 쥐고 이상적인 정점에 다다른 사람들은, 진실로 끝없는 삶의 반복을 기뻐할까요? 정점에 다다르면 그 자리를 발판으로 미래를 영위하고 싶은 자의 끝을 마무리하고픈 자도 나뉘게 될지 모릅니다. 자기 완결, 마무리 등으로 자살을 대체하는 용어들이 등장하며 일부는 지신의 삶을 정리하고, 되돌아보는 시간을 가진 뒤 죽음에 임하는 자들도 보이겠지요. 단순하게 다루고 싶지 않았습니다. 무거운 주제이나만큼 이름 깊이 생각한 흔적이 작품 곳곳에서 보인다면 기뻤겠습니다.

생명체라면 누구나 맞이하는 것이 죽음입니다. 자연의 섭리라며 자기 자신에게 온전히 주어진 권리이기도 합니다. 끝없이 살아가는 것은 그저 존재할 뿐, 살아가는 것이 아니다···. 아이러니하게도 영원은 모든 욕구를 부질없이 만듭니다. 욕망 없이 지속하는 삶은 의미를 찾지 못하고 부표처럼 쓸려 다닙니다. 누군가는 이런 삶에 반발할 것입니다. 그렇다면 스스로 죽음 권리를 선택하며 '인간적으로' 떠나는 것이 조금씩 받아들여진 사회가 되리라 생각했습니다. 자기 파괴가 아닌 마침표로 임할 수 있는 시대. 존엄사란 삶을 포기하는 것이 아닌 죽음을 선택한 결과라고 볼 수 있기 때문입니다.

이러한 배경에서, 주인공 솜뭉뭉과 매매는 상태의 죽음을, 또 자신의 죽음을 얽어가며 서로의 진심을 확인합니다.

길다면 긴, 짧다면 짧은 시간 동안 쓰인 이야기였습니다. 가벼울 수 없는 소재이기에 조심스러운 부분도 많았으나 그만큼 생각하고 되짚어보는 계기가 되어 즐거웠습니다. 언젠가 우리가 우리의 삶의 끝에 다다른다면 자신의 감정에 충실하기를, 또한 평온한 마무리이기를 바랍니다.

감사합니다.

숨니움

해파리콜스의 남용으로 긴 시간을 갇히게 되었다.
정부에서 받은 혜택으로 자연스럽게 누군가를 돕고,
구조해주는 것을 당연히 여긴다.
매매 또한 자연하여 가족으로 들였다.

매매

어린 시절의 트라우마가 남아 있는, 숨니움으로부터 입양된 아이.
그를 아버지처럼 따르며 그의 사상을 존경한다.
삶과 죽음에 대한 숨니움의 말로부터 많은 깨달음을 얻는다.

데이브

정부에서 제공하는 안드로이드.
동료에게 배워나가는 학습형으로 제작되었으며,
가장 가까운 동료의 사고방식을 닮아간다.

로모

자살을 결심하여 그것을 연습한다. 매매에 의해 구조된다.
조금씩 매매와 교류하며,
자신 앞에 놓여진 죽음이라는 운명을 정리한다.

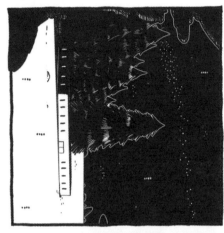

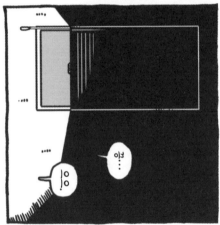

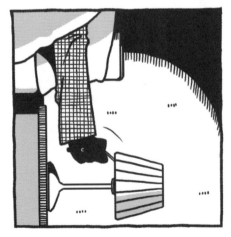

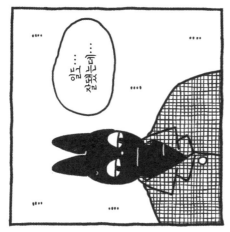

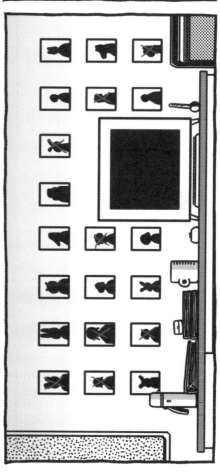

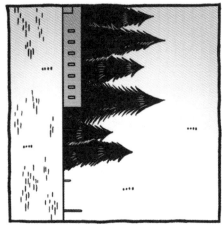

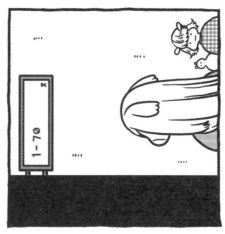

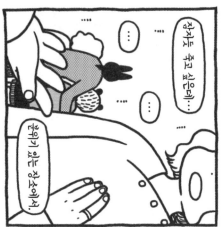

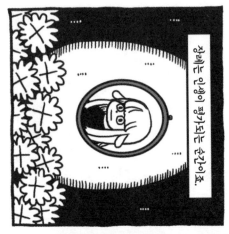

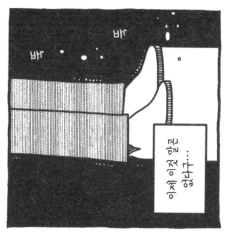

이제 지긋지긋한 생활도 끝이다.

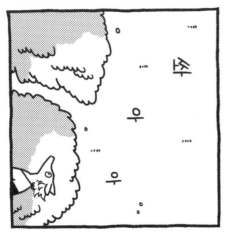

쏴

우

우

018 ◆ 019

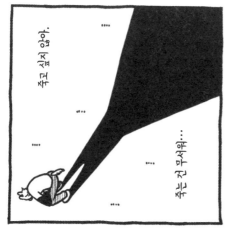

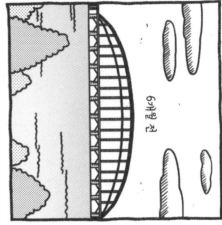

차갑겠지, 숨 막히겠지.

뛰어내릴 수 있을까?

하나 그에 대한 답도 알고 있었다.

어떻게 하지. 어떻게...

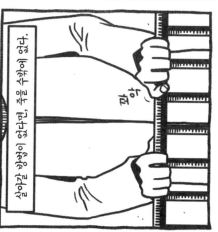

살아간 방향이 었다면, 주운 수위에 었다.

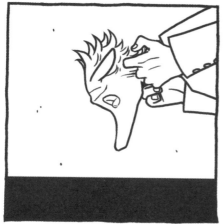

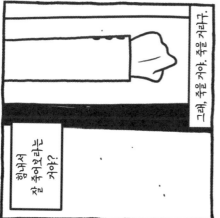

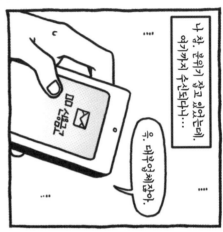

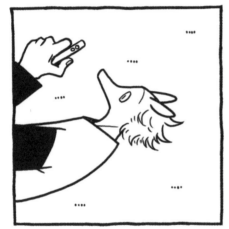

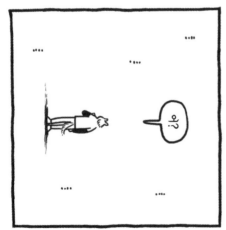

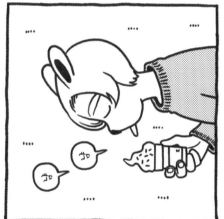

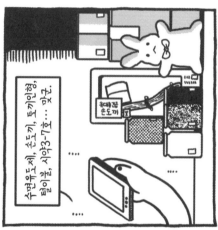

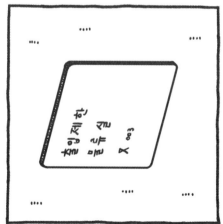

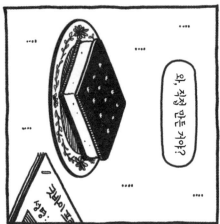

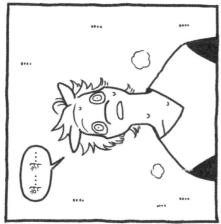

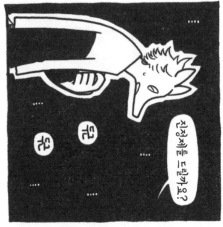

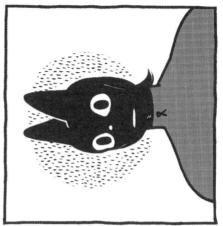

그는 이윽고 지난히, 지난이 돌아가서 다시금 살아야 할 이유를 갈망했다.

……

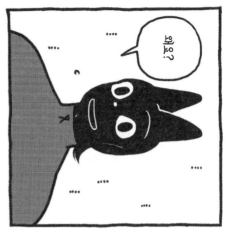

왜요?

……

자신의 실패를 새로이 주어진 기회로 다시 시작하겠다는 다짐을……

왜… 왜냐면요, 전…

그는 이렇게까지 자신의 생을 얻어야 할 나이 였었다. 하지만 안팎, 무언을 갈망하는 기운이 드는 건 어쩔 수 없었다.

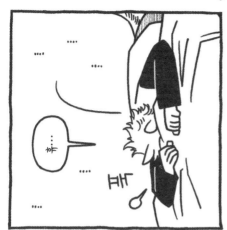

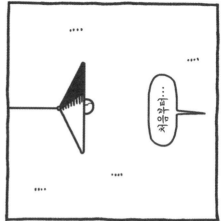

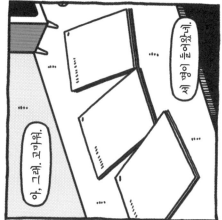

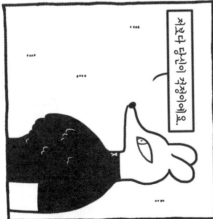

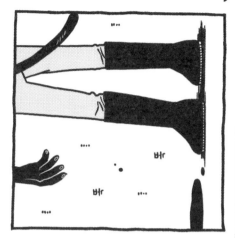

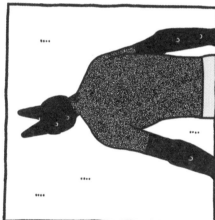

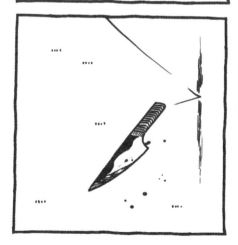

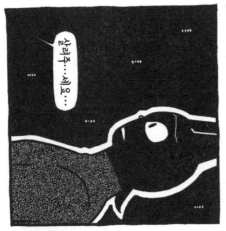

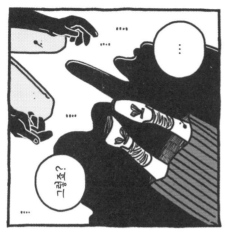

그렇죠?

당신이 부탁했잖아요, 이렇게 해달라고

제가 드와드린 거죠?

켜…

쿨럭!

으…으으… 으, 아파요…

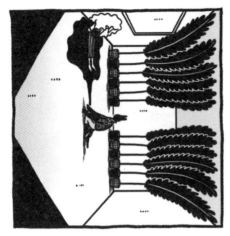

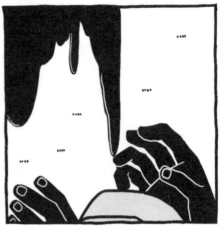

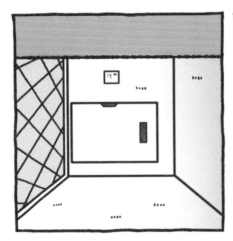

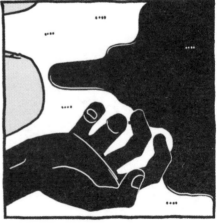

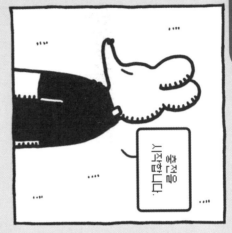

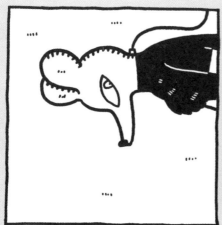

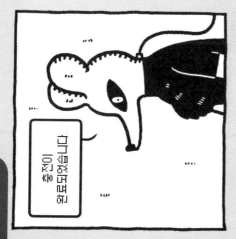

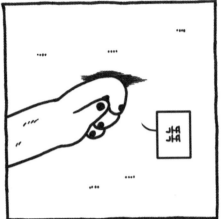

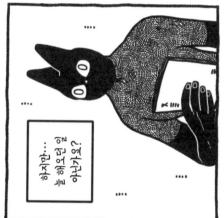

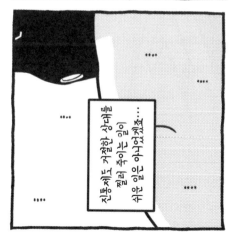

내가 노와 사람들은 정말 행복하게 죽은 거야?

피투성이의... 웃는 얼굴로 산채라니가.

그건 아르바기에 해줬는데...

누군가를 돕는 일이라고 말의 의심치 않았는데

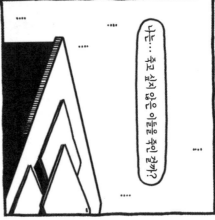

나는... 죽고 싶지 않은 이들을 죽인 건가?

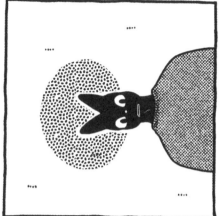

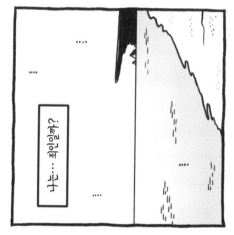

나는... 죄인일까?

내가 해온 일이 다지 죄일로 쌓인 걸까.

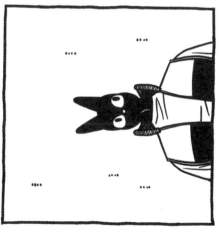

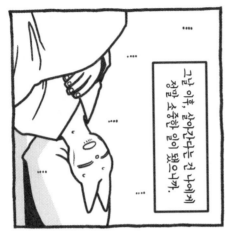

그날 이후, 살아간다는 건 나에게 정말 소중한 일이 됐으니까.

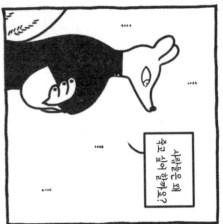

사람들은 왜 죽고 싶어 할까요?

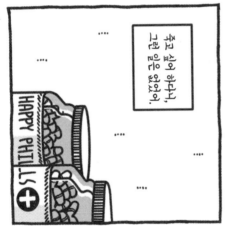

죽고 싶어 하다니, 그런 일은 없었어.

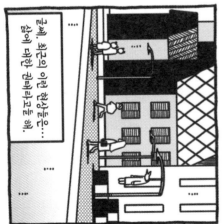

근데, 최근에 이런 현상들은...... 삶에 대한 권태라고들 해.

난 생각해본 적 있어.

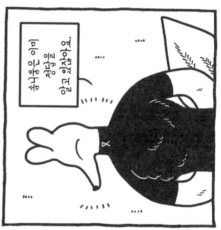

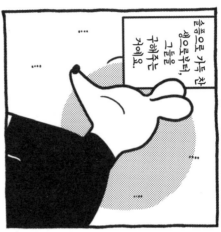

손으로 가득 찬
생으로만요, 그 듣을
구해주는
거예요.

중으로써 구원받는 거니다.

구원받는다구…?

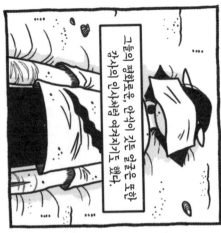

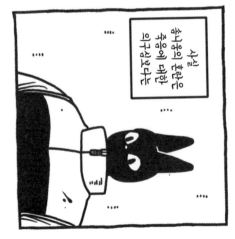

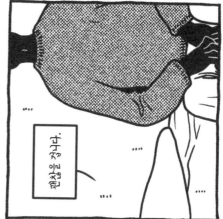

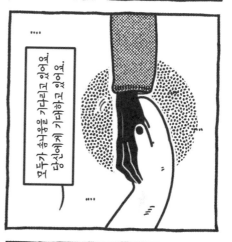

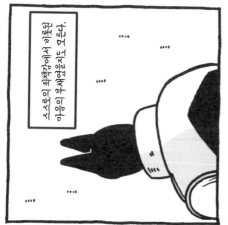

모두의 안식을 위한, 내가 해야 하는 일이야.

오늘도 멋져주셔서 감사합니다.

무가치한 삶보다는 가치 있는 죽음을 만들자.

나의 도움을 원한다면 나는 가까이 그들을 위해주겠어.

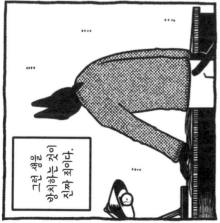

그런 생을 방치하는 것이 진짜 죄이다.

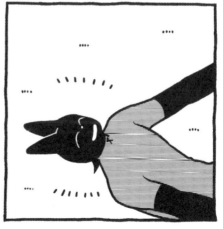

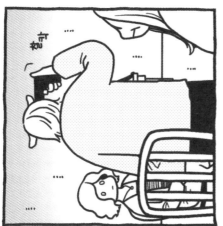

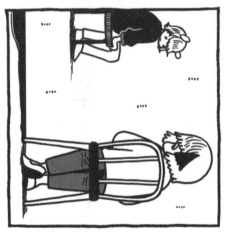

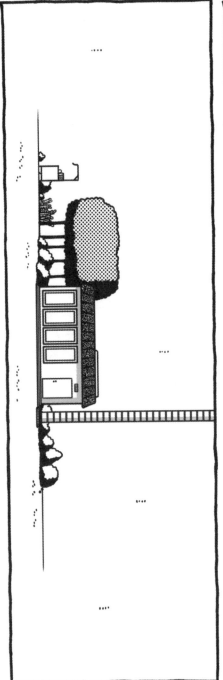
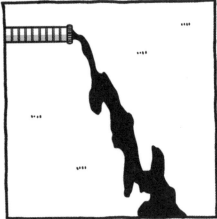

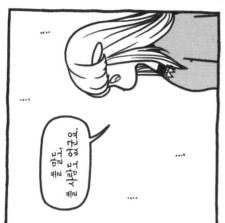

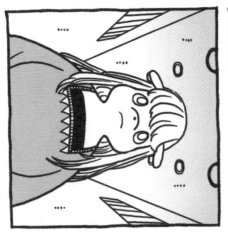

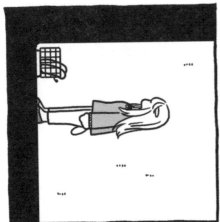

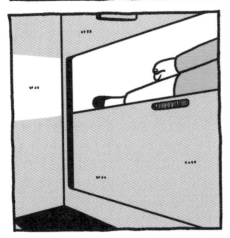

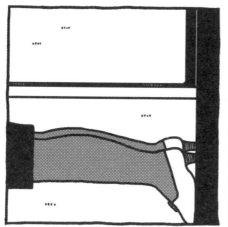

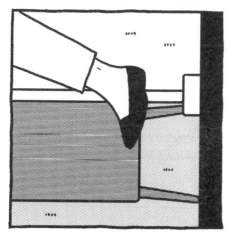

너는 내 인생이 더 살 가치가 있다고 생각되면 그냥 죽으라구나.

아가야... 나는 태어나고 싶어서 태어났니?

아닐 거다. 네 엄마가 널 미음대로 낳았지.

난 네가 다가올 게 빤한 불행을 억지로 키우려 살아가길 원치 않아.

그럼 죽어도 죽을 때는 스스로 정해야 하지 않겠어?

할아버지가 죽는다면 엄마의 화풀이가
멈추지 않을까 하는 이기심이었다.

쿨룩 쿨룩…

쿨룩!
쿨룩!

내 엄마가 주는 걸
받아먹고 있잖나.

나 먹을래.

나는 그걸 어렸서도
가만히 있었다.

그럼 할아버지는 어떡하신데요?

그리고 나는 우리가 어떤 콘테에 묶여 있는 것이 아닐까 하는 생각이 들었다...

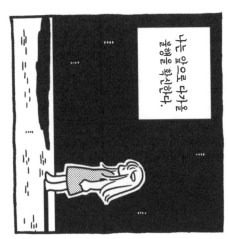

나는 앞으로 다가올 큰일에 확신하다.

엄마가를 엄마가 죽인다면

엄마를 죽이는 건 나일까?

아까 그럴 거다. 분명히 그럴 것이다.

불행에서 빠져나가는 까짓방은
그것이 오기 전에
모든 것을
끝내는 것이라고.

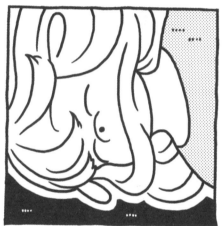

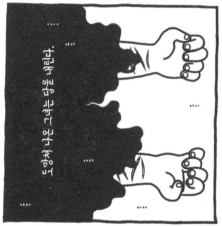

드디어 나온 그대도 말을 내린다.

그래서 그 흘레들우티
드디어 나온다.

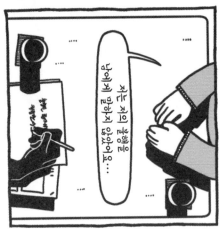

이렇게 말해도 믿지 못하지만...
진심 술이 보이지 않네요.

* * *

* * * *

* * * *

* * * *

그렇요, 이제
더 이상의 불행은
없을 테니까요.

* * *

* * * *

* * * *

역시, 규원하는 거죠?

* * * *

* * * *

* * * *

* * *

당신의 불행을
끌어내고,
마지막 안식을
누리는 거잖아요.

* * * *

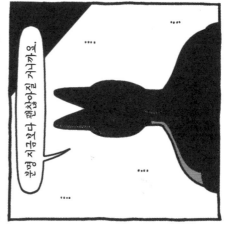

그러게 해야할 텐데…

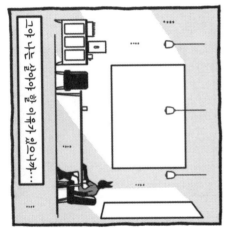

그야 나는 살아야 할 이유가 있으니까…

왜 죽지 않느냐고?

당신들의 죽음이라는 삶의 이유가 있으니까.

모두가 흰 꽃만을 바라는 건
아닐 것 같았거든…

그랬군요!

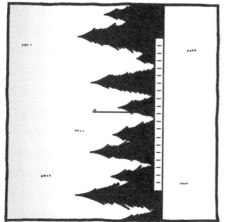

무덤에 피었던 건… 흰 꽃이죠?

꽃이 제법 폈군요.

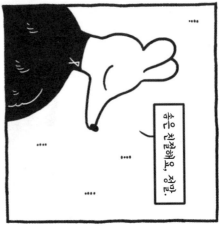

음은 친절해요, 정말.

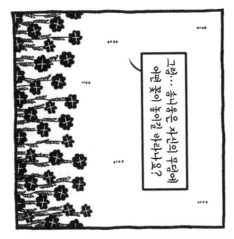

그럼... 송나롱은 자신의 무덤에
어떤 꽃이 놓이길 바라나요?

나의?...

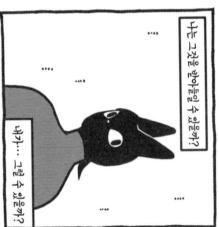

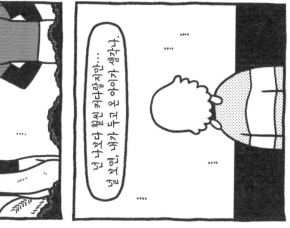

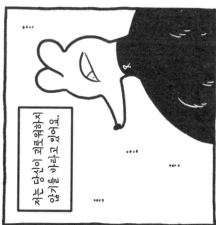

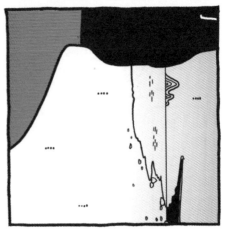

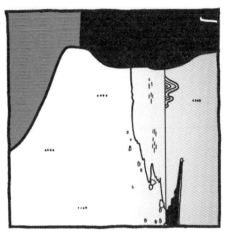

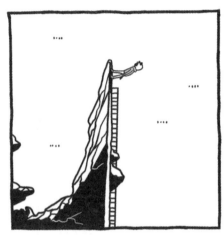

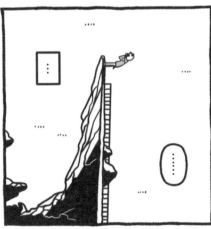

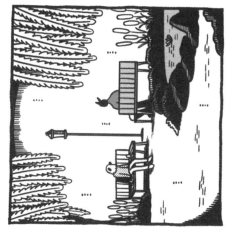

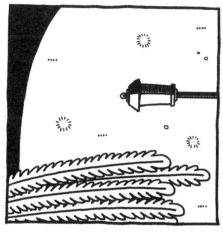

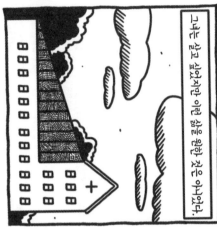

그녀는 살아 있었지만 어떤 삶을 원한 것은 아니었다.

아가……
조금만 참거라.

……………

상냥한 고통을 수반한 치료는 그녀를 조금씩 죽여가고 있었다……

아아아……

나…… 이제
그만할래요.

차라리 죽는 게 낫겠어.

삶은 그대로 좋아진다.

고통은 그대로 좋아진다.

너도 똑같이 겪어야 해.

나처럼 이렇게 고통스럽게 살아보라고.

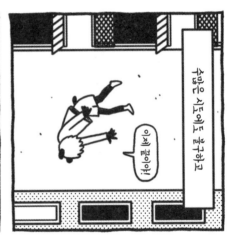

나 좀 놔줘.

나를 좀 놓아줘.

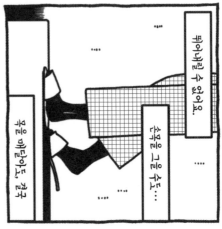

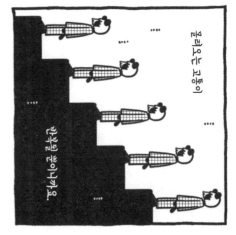

해경을 주는 인간 왜 내게 사는 것을
강제하는 건까요…

그저 살아만 있다면
해경을 준다고
생각하는 건가요…

그래요, 나는 그것에 질린 거겠죠…

나에게 있어 산다는 건 그저 고통의 나열이었다.

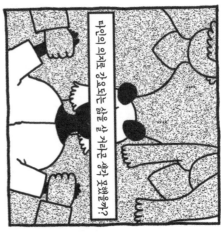

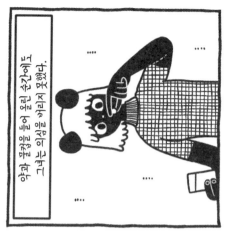

아까 물방울들이 열린 순간에도
그녀는 이상을 깨리지 못했다.

…ㅜ
괜찮아요.

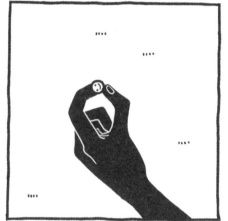

…물론이죠.
이곳은 병원이
아니니까요.

이거…
확실한 것
맞아요?

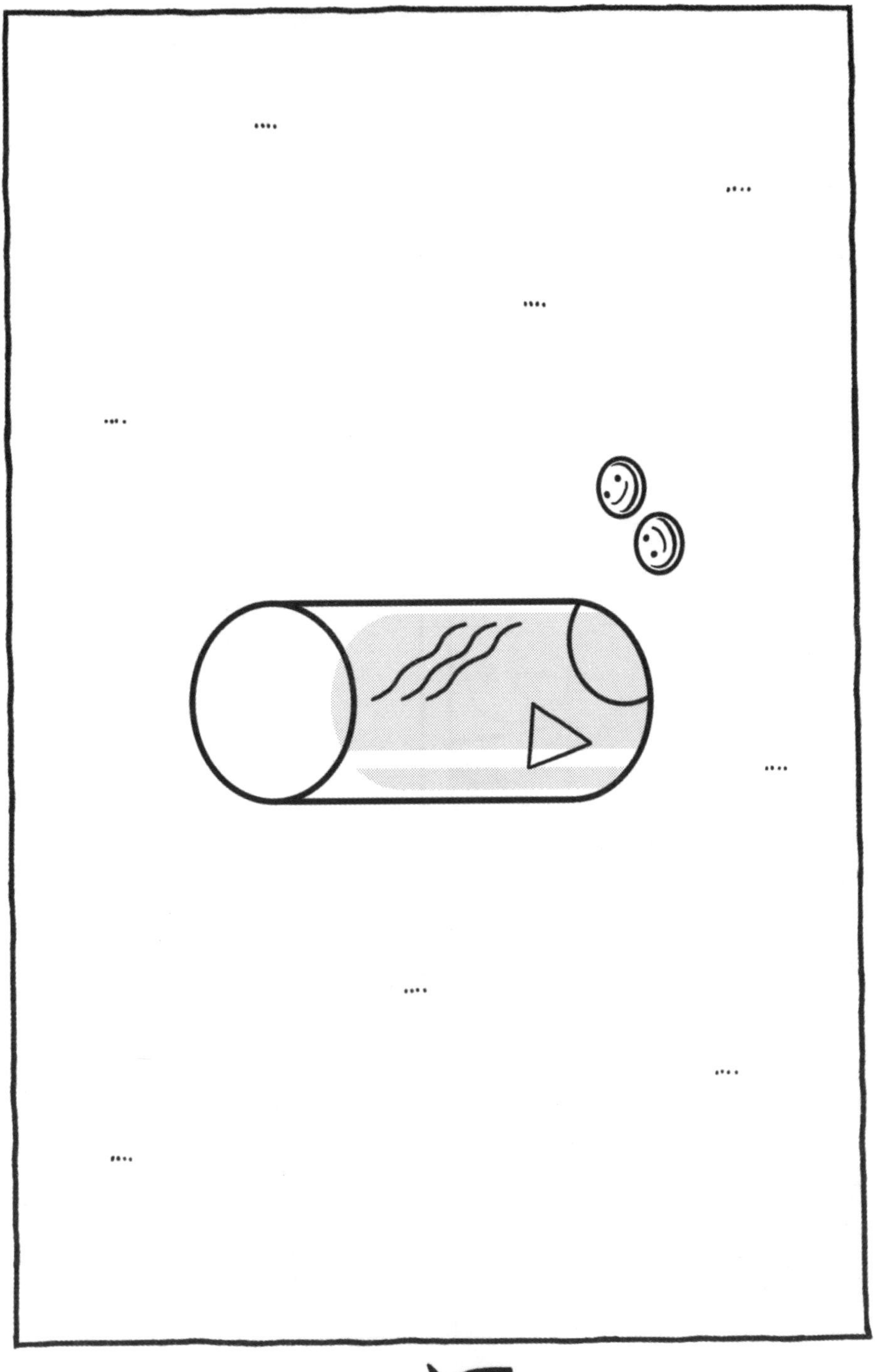

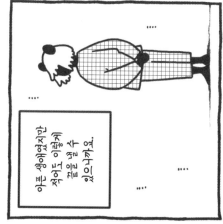

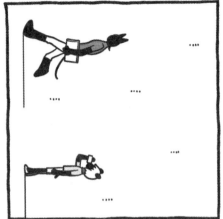

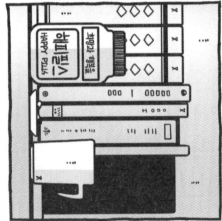

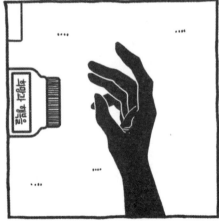

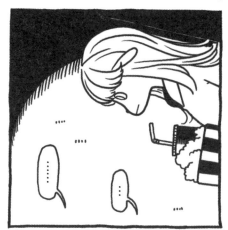

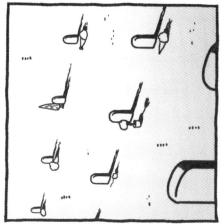

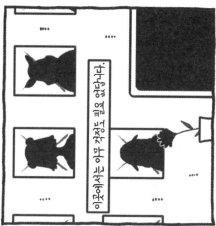

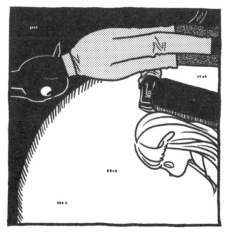

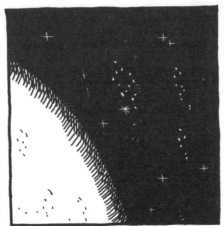

고통도 불행도 모두 끝나니까요.

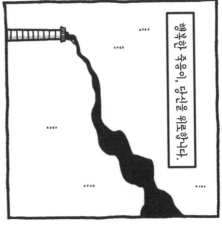

행복한 죽음이, 당신을 위로합니다.

죽음이 프로젝트에 오세요.

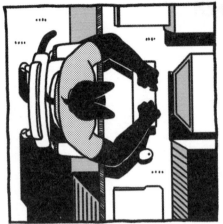

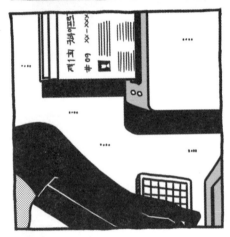

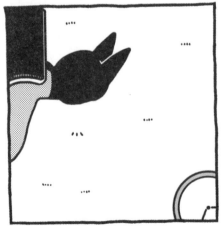

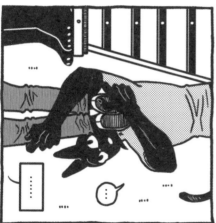

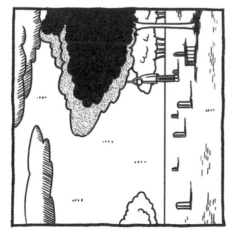

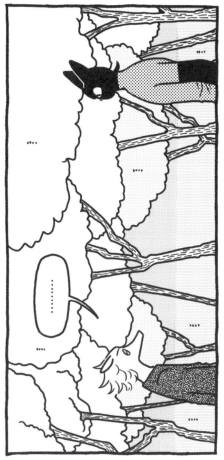

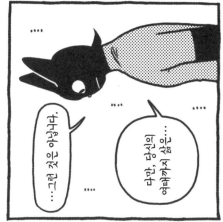

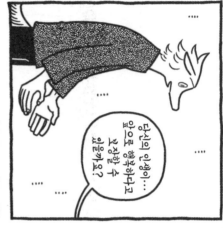

당신의 인생이… 앞으로 행복하리라고 보장할 수 있을까요?

이곳에는 당신을 위한 모든 것이 있어요… 고통 없이, 생을 정리할 좋은 기회잖아요?

좀 있어요 이 고통을 빼져나가 방법이 아닐까 싶었요…

자에게 그렇게 말해어지않나요?

치는 그렇게 생각해요.

지구를 돌아가도, 더 비참해질 뿐입니다.

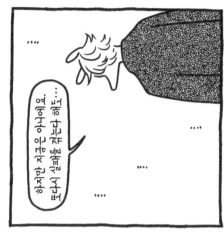

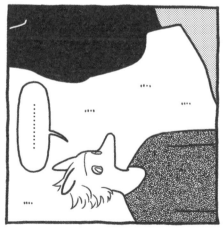

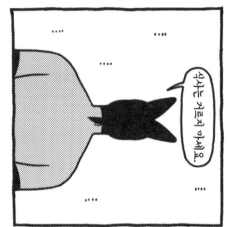

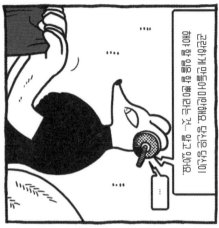

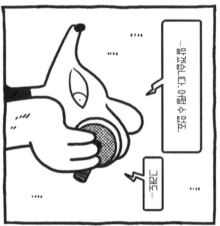

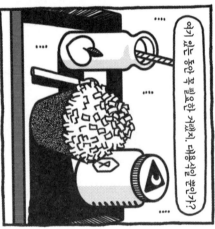

하지만 식사는 다 하셨는데.

네?...

하하, 지하철로 대충 보셨나봐요.

......

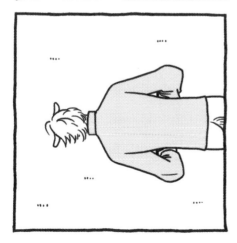

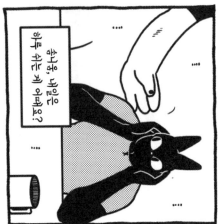

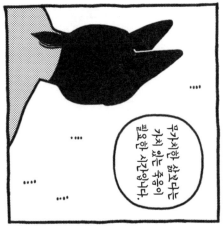

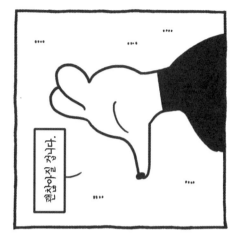

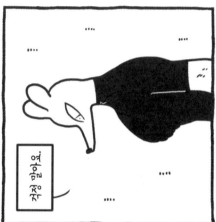

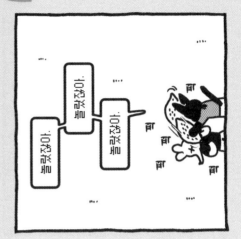

이건 단지 그날을 위한 일이 아냐…

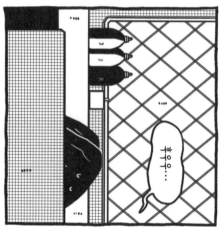

흐으음…

그가 이곳에 온 이상,
나 역시 나의 일을
할 수밖에 없어.

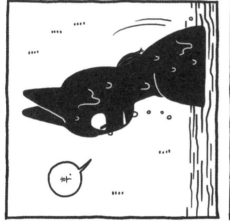

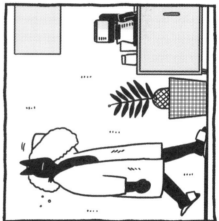

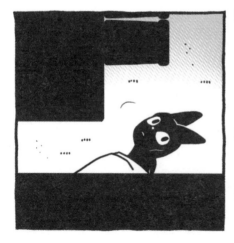

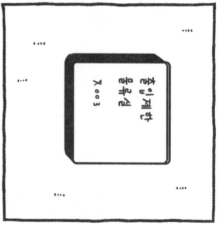

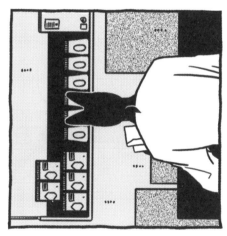

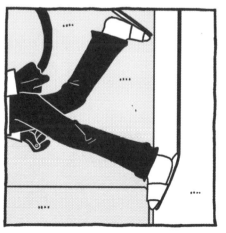

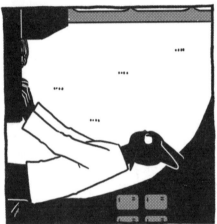

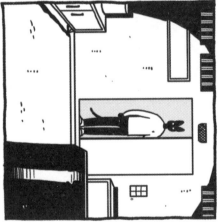

......
......
......
......
......

거짓말 마세요…

이제 슬픔도 괴로움도 없을 테니까요.

제가 여기서 뛰어내리는 겁니다.

고통은 없어요. 아주… 잠깐을 쏟아니까.

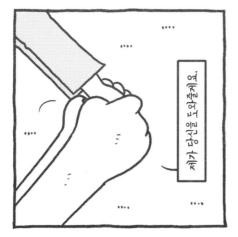

제가 당신을 도와줄게요.

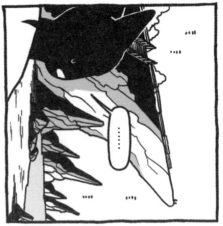

해의 자체에 달린 무게를 덜어내는 건 아빠요?

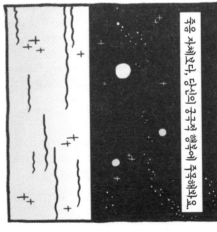

죽음 자체보다, 당신의 죽음적 해후에 주목해봐요

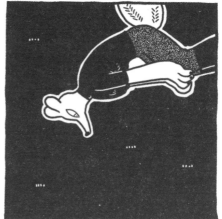

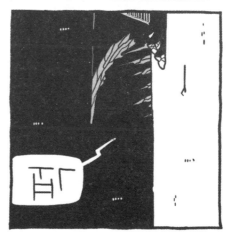

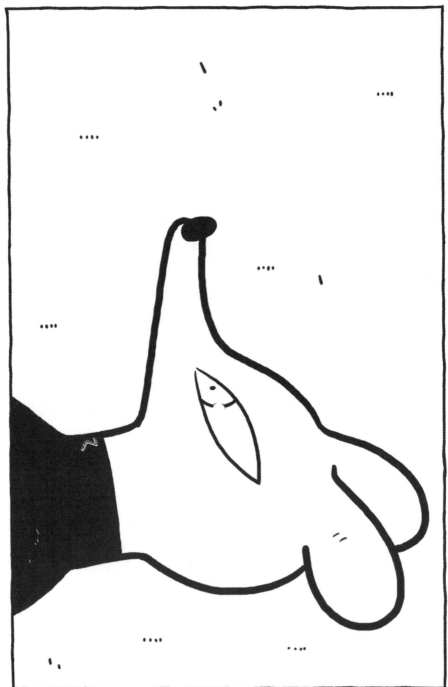

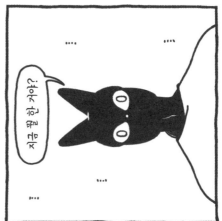

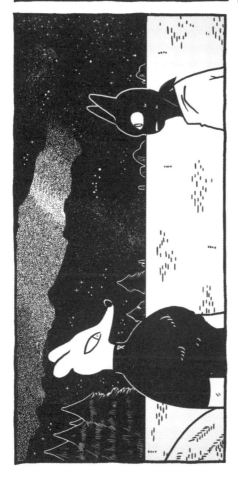

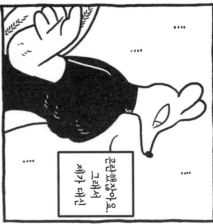

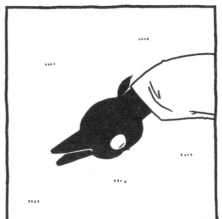

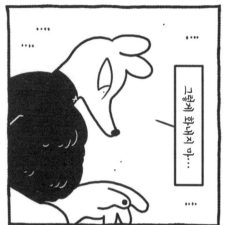

그렇게 화내지 마...

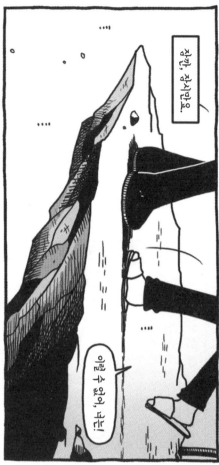

잠깐, 잠시만요.

이럴 수 있어, 나는!

......

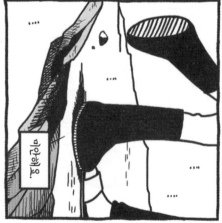

미안해요.

응...

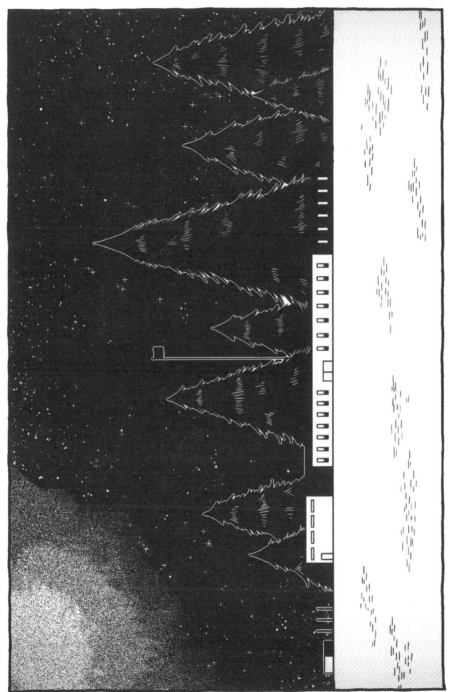

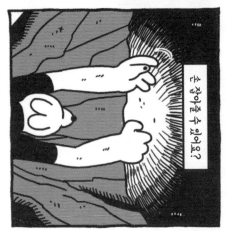

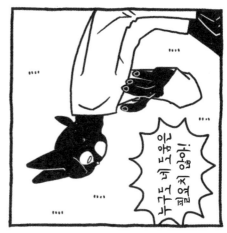

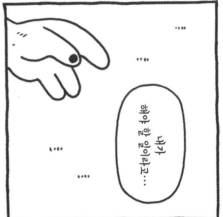

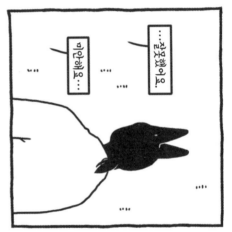

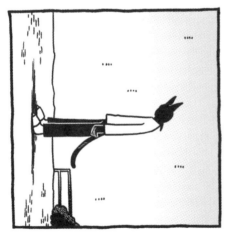

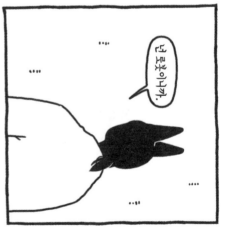

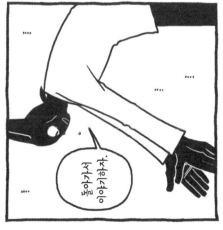

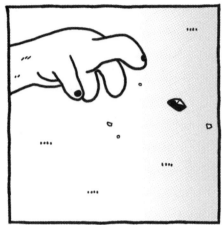

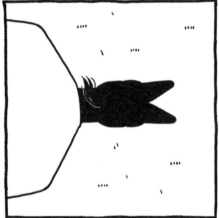
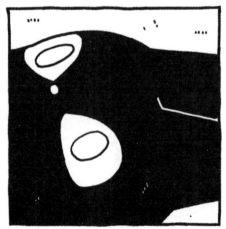

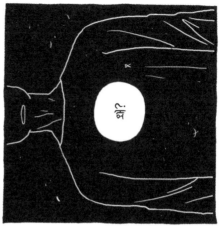

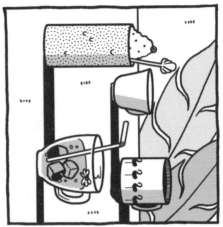

방금 무슨 소리 들리지 않았어요?

글쎄...

으, 하물해요, 여기.

뭐, 아직 첫 회차니까.

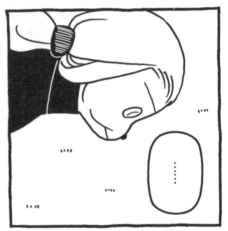

‥‥‥

이상하게 마음이 편해져요.

그야말로,
인생의 휴식이죠.

이 시간이, 너무나 귀중하고,
또, 기대하게 되는 것 같아요.

하지만 이렇게 나이 죽음이
어떤 의미를 갖게 되는지 않아가는...

무섭기도 했어요.
한 번도 겪지 못한 일이니까.

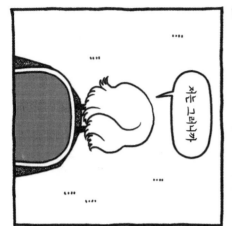

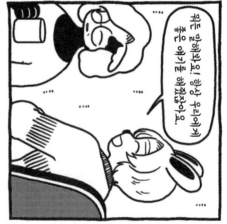

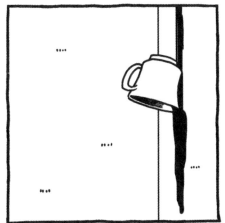

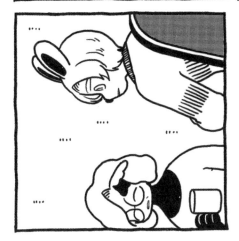

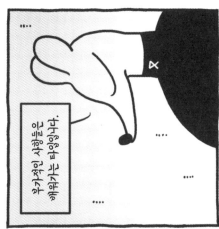

우가진 사항들은 다나의 타이어입니다.
캐워가 는

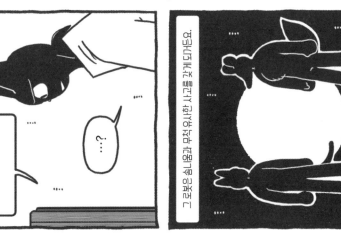

그 로봇은 숨니움과 무척 유사한 사고를 갖게 되거든요.

지금쯤이면
많이 배웠을 텐데.

? . . .

참부X : 데이브가 부서졌다니, 유감이군요

본부X : 네... 제가 배상을 하겠습니다

참부X : 그런 건 됐어요,
하지만 아쉬움이 크겠네요

역시나

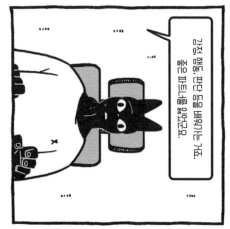

감정 행동 패턴 등을 배워가는 거죠.
좋은 파트너를 만나셨군요.

하지만 걱정 마세요. 곧 새로운 모델
...

앗!...

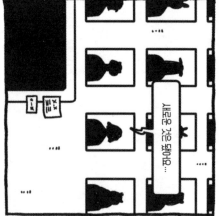

...하아앗 하고 끄래끼

...

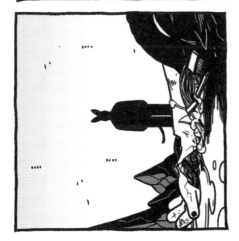

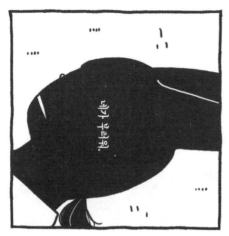

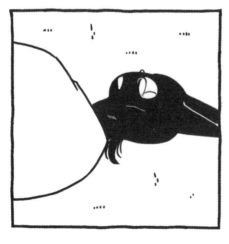

그래, 내 주음은 나의 일을 되찾은 안드는 날 이어다는 누구도 아니었어. 날 놓쳤었다는 누구도 아니었어.

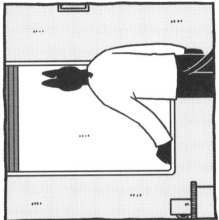

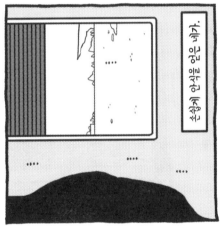

손쉽게 안식을 얻은 네가.

난 부러웠던 거야.

만약 자살이라면,
편한 자살이라더군요.

정말 외주셔야겠어요.

그러죠…

?…

누가 쓰러졌거든요.
그런데 그게…
헹가래서.

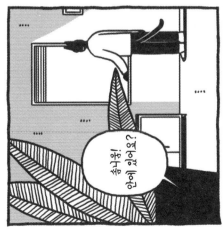

안에 숨어있나요?

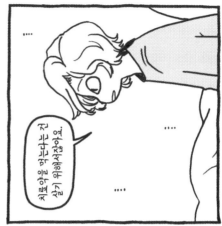

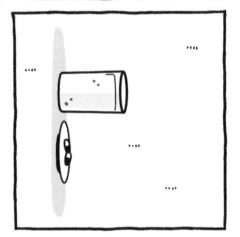

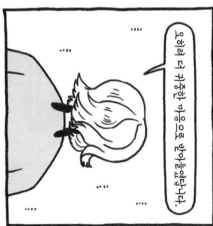

많은 것들이 깃들어
개인의 죽음이 완성되는 것이다.

죽음이죠.

으음

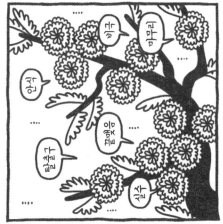

미미

나비

안녕

죽게 인
들의 음

탐춘꽃
돌고래

산수
달리

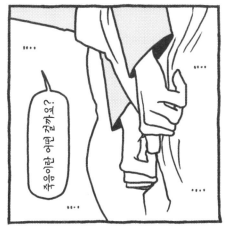

죽음이란 어떤 걸까요?

죽음이
완성되는 거라고
생각해요.

다만 그것은 하나의 사실로만,
그것을 맞이하는 때의
감정과 이야기 더해져…

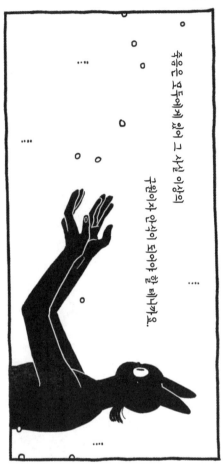

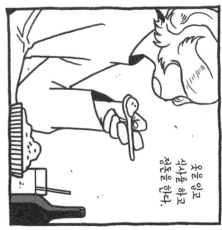

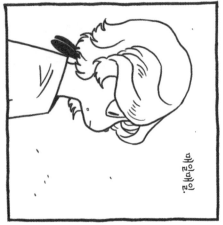

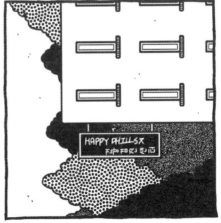

자신의 죽음을 위해서.

영원한 지루함이 이어지던 그에게 익숙한 결과가,

그는 다시
살아갈 수 있었다.

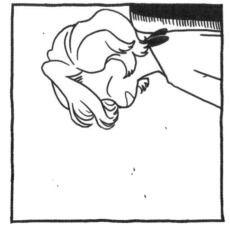

죽음이 나타난 것이다.

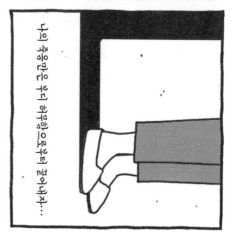

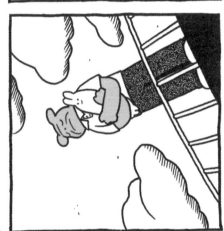

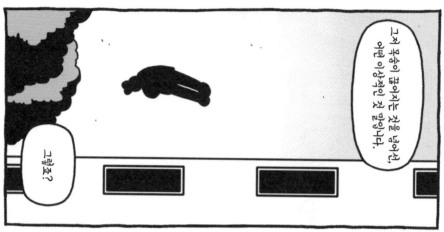

나에게도 그런 것이 있겠죠?

피면, 구워, 찌져, 해요 뭐든 좋아요.

어떤 의미든 받아들이고 싶어요.

그저 슬이 끓어지는 사실 그 이상의 이상적 의미가…

· · · · ·

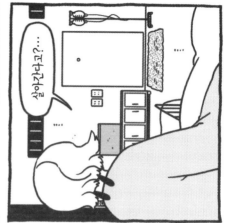

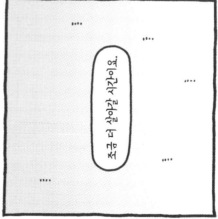

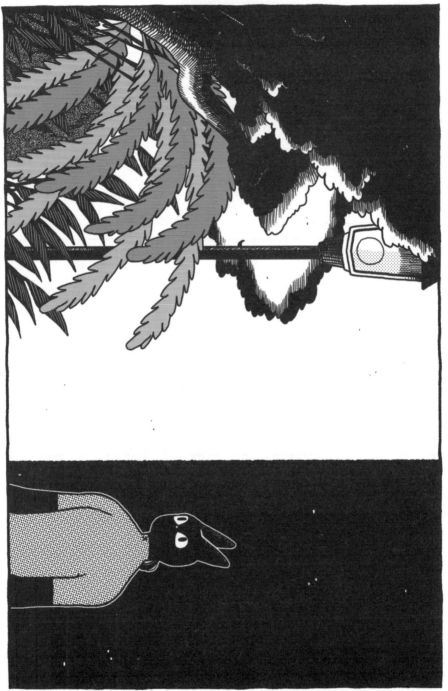

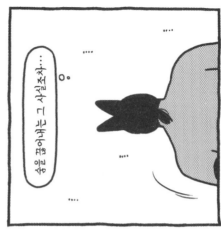

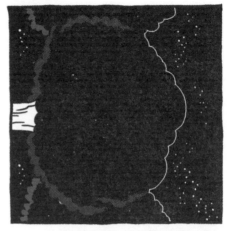

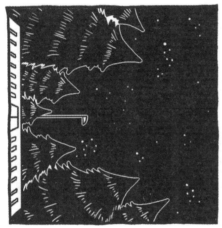

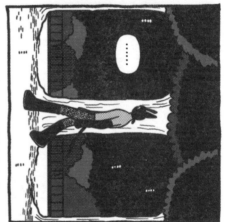

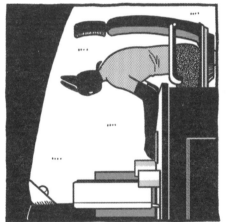

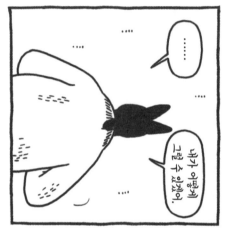

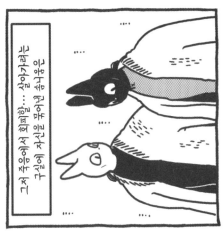

그저 죽음에서 회피할... 살아가려는
구실에 자신을 묶어낸 숨겨운

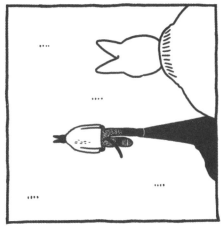

그저 지쳐어서 쿨레이었지는 모른다.

하지만 그토록 믿어었던 존재의 이유는

여태까지의 삶을 우정당하는 듯했다.

그는 당연하게도
스스로 살아가리라 믿었다.

자신의 진실을 마주하자

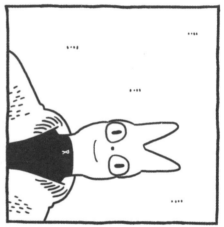

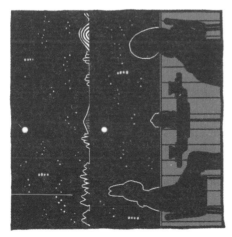

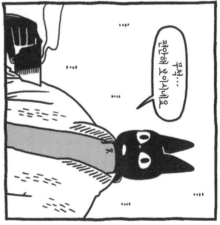

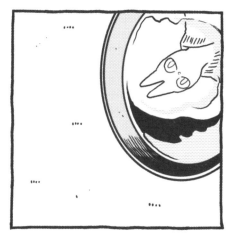

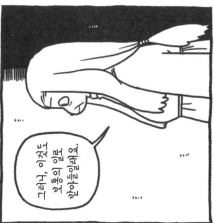

그러니, 이것도
보통일은
아니도르래요.

일은 마쳤으니 이제 쉬어야죠.

용인할 게 있겠어요?

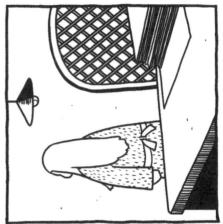

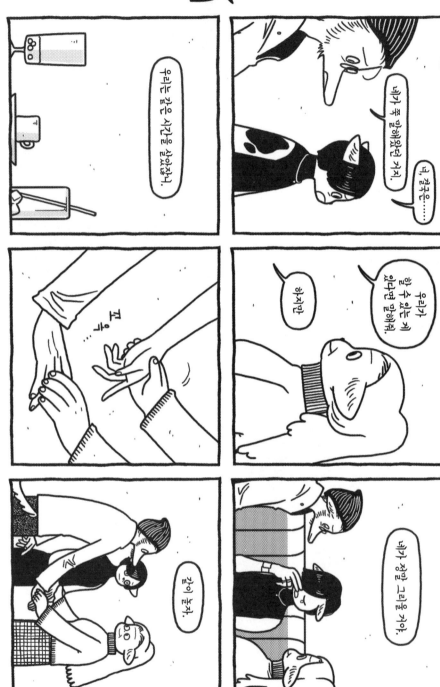

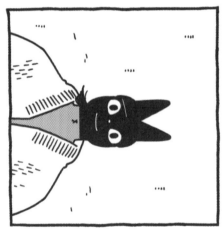

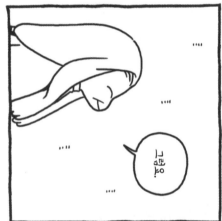

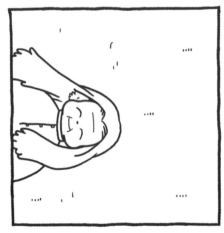

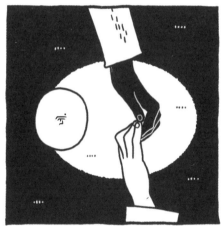

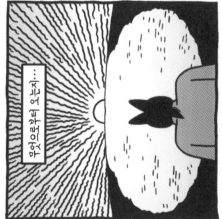

그리하여 그는 다시 살아간다.

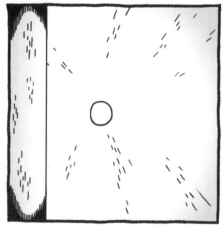

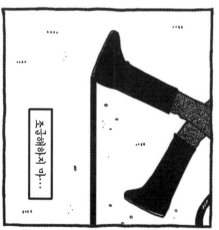

그 다음에는…

나는 살아갈 수 있어.

나의 산을 필요로 하는 사람들이 많으니까.

다만 그게 지금은 아닐 뿐이야.

이 시간의 끝에

분명 내가 원하는 것은 존재할 테니까.

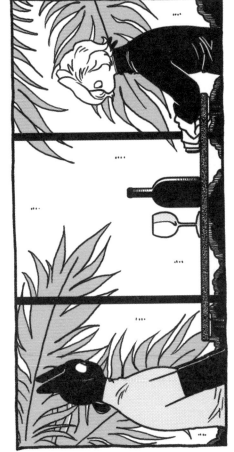

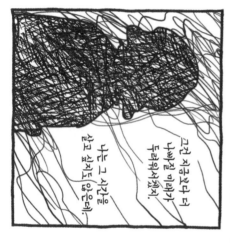

사실은 기다리지 않고, 먼저 내가 다가가는 거야.

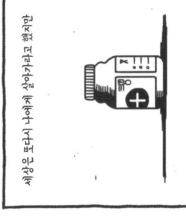

나는 이 강제가 더는 필요하지 않다고 믿었어요.

세상은 또다시 나에게 살아가라고 했지만

우스운 얘기였죠.

사는 것도 할릴러 강제로 이어가던 나는 기어이 죽음까지 강제로 선고한은 것이다.

⋮

이렇게 강제로 사는 것은 의미가 없다. 차라리⋯

생이 끝나요. 아마도 든다면 앞으로 몇 년도 어려워요.

그럼 딱 한 게 있느껜.

나의 의지를 이룬이낸다면
이 공허함에 무언가 의미를 부여할 수 있지 않을까...

하지만 눈앞에 두고도
아무런 가치를 느낄 수 없어요

행복한 거라 생각했는데.

매일 매일
지실 노과우

이쁠 진과하세요!
으뜸을 진과하세요!

비극적인 것도 상관없어, 그런데...

에이...

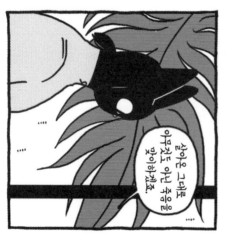

살아온 그때도
아무것도 아닌 죽음을
맞이하게었죠.

이 시간 자체가 이미 있는 건 아닐 거예요.

그러니까... 스스로에게 가장 의미 있는 순간이 될 겁니다.

그렇다 해도...

이것은 오직 당신만을 위한 당신의 순간이잖아요.

그러니 고민은 그만두는 게 나아요. 그때, 주는 것에 의미를 둬 뭐 하겠어요?

하지만 저도...

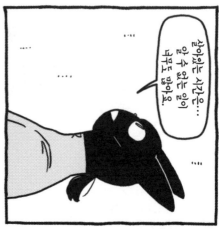

잃어버린 시간은……
알 수 없는 일이
너무 많아요.

마음에 걸리는 일이 그다지 없죠.

하지만 당신이 그랬든
그 시간들과 작별하는 것을
스스로 해낼 수 있는 것 자체로

가장 특별한 시간이 될 거예요.

그러나 누군가 나의 마지막을 그렇게 기억해준다

슬프지만 있잖아.
당신이 이렇게 상냥한
위로를 건네지요.

그 사실만은…
내게 중요한 의미가 퇴지는 모르겠군요.

광생을 지고 온
나의 굴레를 풀어내는 것은 어려워요.

천히 드랑지 않다고는
못하게요.

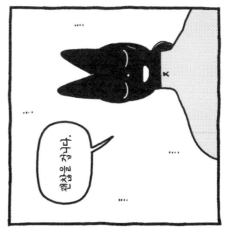

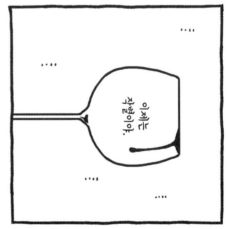

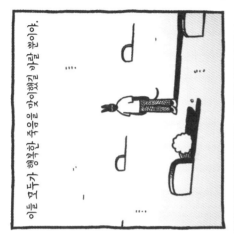

이른 모두가 행복한 죽음은 맞이했었기 때문일 것이다.

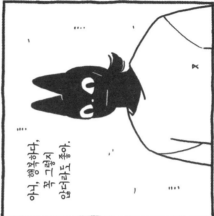

아니, 행복하다, 꼭 그렇지 않더라도 좋아.

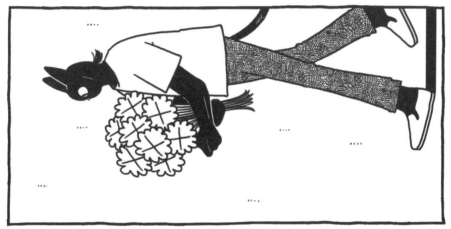

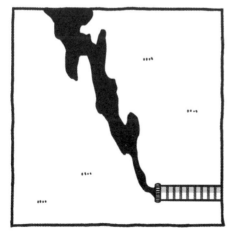

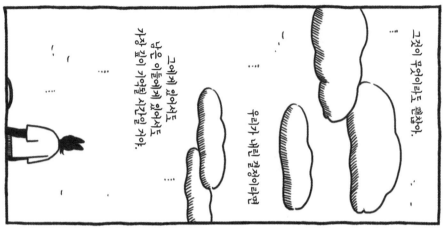

그것이 무엇이라는 괜찮아.

우리가 내린 결정이라면

난 그에게 있어서도
가장 깊이 기억될 시간일 거야.

그에게 있어서도

우리는 살아왔으니까.

다양한 방식으로 구매를 맞신피는 통화장았구.

누군가는 이상적 죽음을 탐구하기도 했다.

신인 및
등록 회원으로…

토신 방생 101-3천김

그러나 삶에 대한 자유는 일부 권태로 이어졌고

....

....

....

....

수명이 연장과 질병의 자유로
인간에게 주어진 시간은 자유를 얻는다.

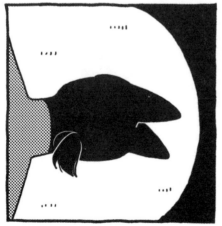

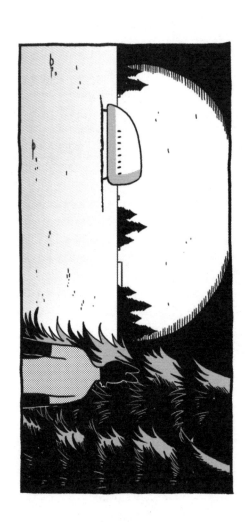

굿바이 프로젝트

3화

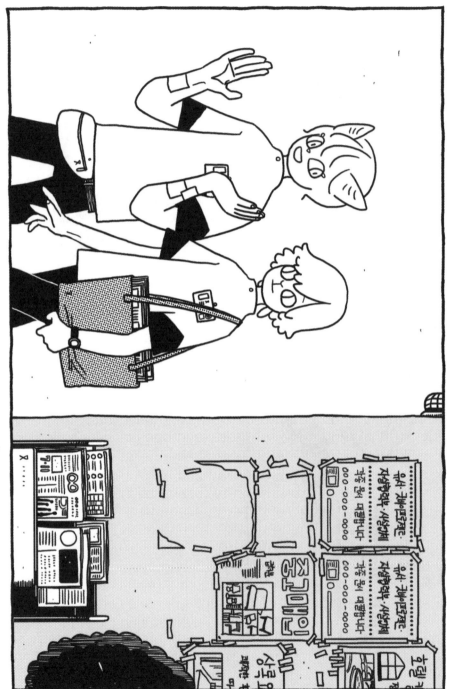

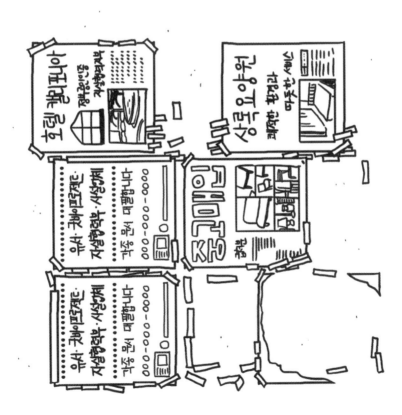

220 ◆ 221

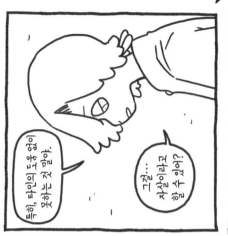

예쁘긴 엄청이, 펼쳐는 너무 느려. 거리가 엄청나면.

많이 바빴겠지?

연하장이네... ㅇ 여름인데...

아, 손나응이 보낸 거잖아.

학인하고 싶지 않아...

분명 있는 일을 안다며 그는 분명 해야 해야겠지.

삶의 이유를 찾았다며 기뻐할 거야.

당신을 이해해보려 해 봐.

그래서 나는 적었다...

내가 아무것도 할 수 있고 아무것도 아니라는 게 슬퍼.

여기서도 그럴 수 있었던 걸까?

인생을 정리해주고,
그 마지막 가는 길을
위로해주는 일입니다.

물론 지금까지의 성과는 훌륭했습니다. 하지만…

단순히 자신에 필요한 서비스를 지원해주는 것을 넘어,

인도자에게 마음의 위로를 받는다는 건 큰 것임이 되죠.

네, 후임자를 구하는 게 어떻겠습니까?

그에게만 모든 일을
위탁할 수는 없죠.

하지만 모든 일을
위탁할 수는 없죠.

그는 이 프로젝트에서 가장 중요한 존재였다. 이제 막 자리가 잡힌 시기에... 다른 일력을 구하는 것도, 이름을 아는 것까지?

...그렇다면 혹이지를 경청하는 것은 경청하는 것은 절대 피하야는 ㅈ

다만...

그건 리가요. 그는 누군가다 걸고자 하는 의자가 강했습니다.

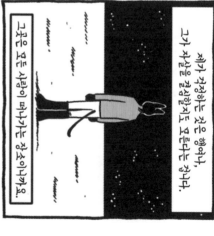

제가 가정하는 것은 해야나, 그가 자상을 경상하지는 모른다는 것이나.

그것은 모든 사람이 떠나가는 장소이나까요.

이제 그것에 훌린 것처럼...

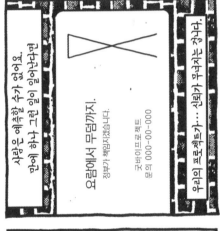

맞아 그가 자신에 대해 조금이라도 생각하고 있다면.

조치가 필요하셨죠?

마음은 바꾸어 보오.

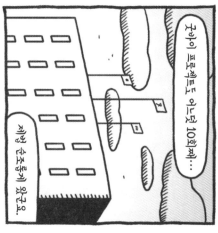

주마이 프로젝트는 어느덧 10일째...

제법 순조롭게 왔구요.

좋아요, 그럼 이번 일정이 끝난 뒤 친지 그에게 휴가를 주죠.

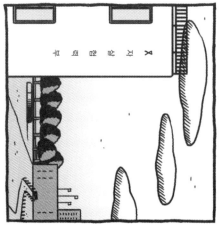

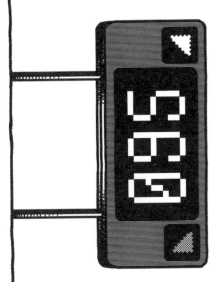

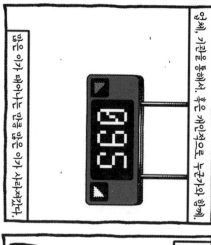

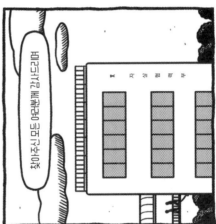

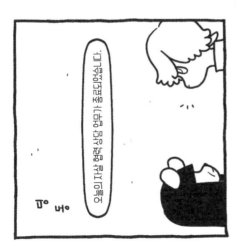

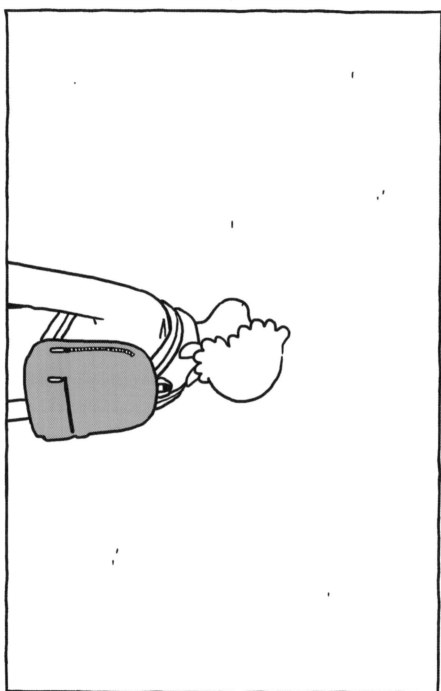

좀 더 저렴한 것은 없나요?

글쎄 이쪽
이죠. 이쪽으로.

고맙습니다. 총 구매에 xxxx입니다.

뼈

줄을 가져야 하는 것과...
나이프가 있습니다.
진동제도 비쌉양이고요.

칼은 위가 저쪽에
크게 투자하는 길이 방아쇠와...
자기값은...추천드릴 것이
좀 효율하세요.

이제 다 끝이란 생각에 도움 멋대로 했는데...

처음하요.
다른 것도
고른게요.

신제함부르 좀 싶이고요. 편이하여 조금 투자하셔지요

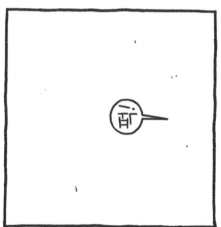

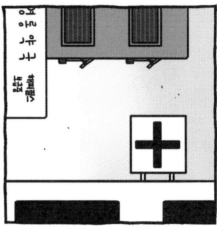

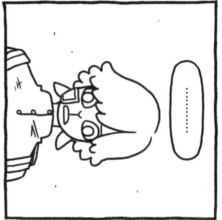

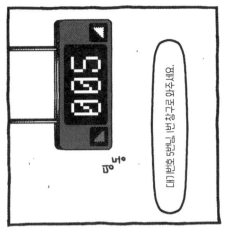

대기번호 5번님, 1번 창구로 와주세요.

그가 떠난 것에는 분명 특별한 이유가 있을 테니까.

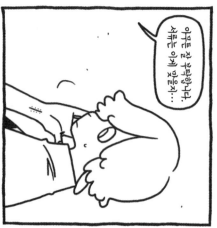

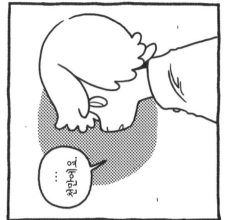

... 천만에요.

고맙습니다.

네, 수고하셨습니다. 절차는 끝났어요.

아, 수고 많았어요.

소중한 시간을 만들어가세요.

XX-000-
응배드립 이용
ㄸㄷ니ㅁ

그 행정을... 내가 도와준 것뿐.

그 누
해양심층수를
이런 곳에!

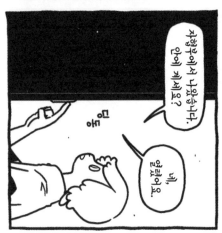

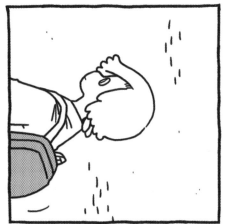

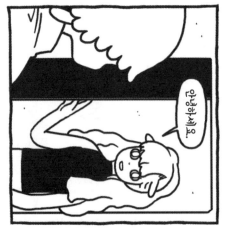

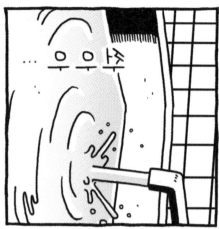

…그러죠.
함께 들어가도록 하죠.

음, 추가비용이…

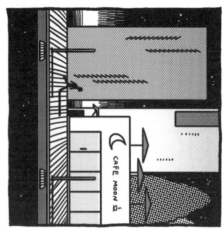

256 ◆ 257

내가 즐겁게
일하고 있다니
다행이다.

진심으로 해맑게
웃는다면,
그 분한 내게 위로가
되는 것 같아.

하지만
내가 그들에게
조금은 도움이
되고 있고.

응 좀 아까, 적응했어?
많이 힘들어했잖아...

뭐, 우으리도
마음은 이해하기
어렵지만...

아, 으응.
적당히도.

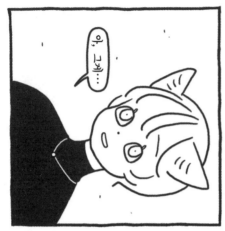

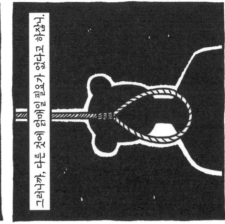

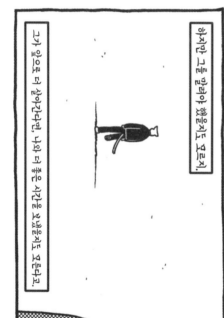

누구나 소중한 이가 사라지는 것은 바라지 않아.
더 오래 함께하고 싶어를 거야.

굳은 용은 이야기이다.
그러나…

이렇게 남겨진
사람들이 있다.

남은 이들이 자신은 혼자만의 문제라 여긴다.

사랑한다면 그들을 내버려둬선 안 돼.

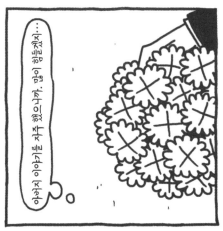

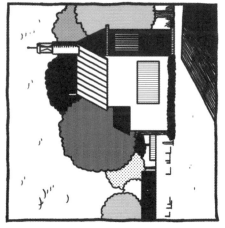

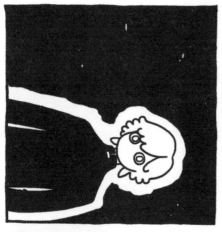

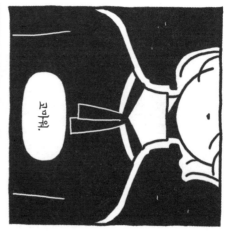

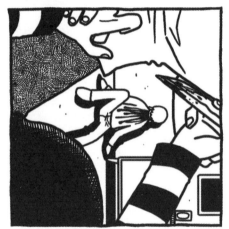

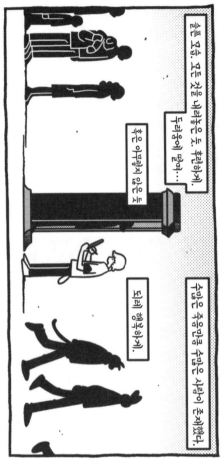

고마워.

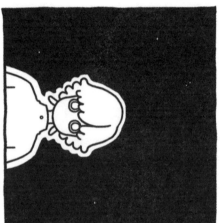

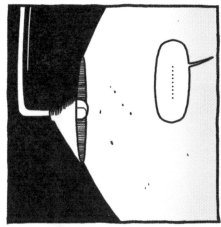

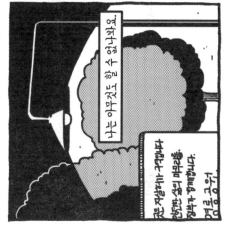

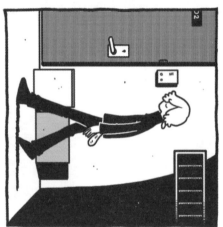

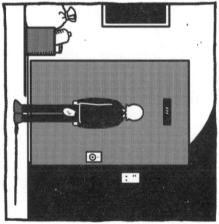

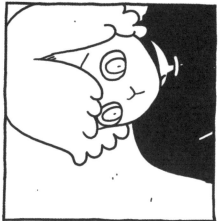

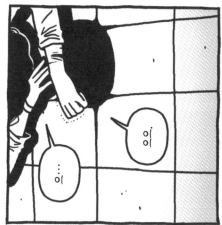

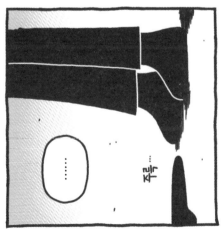

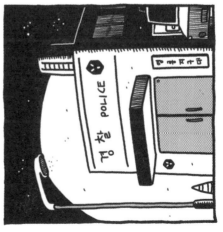

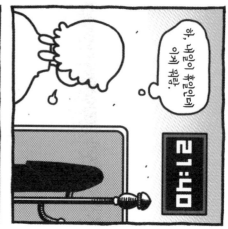

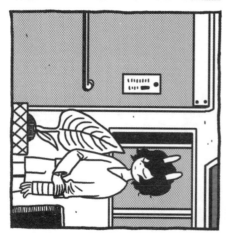

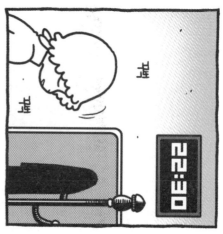

284 ◆ 285

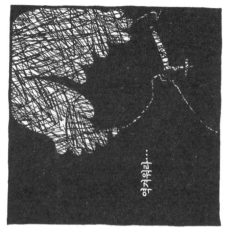

아깝워라…

아니.
그냥 무서운 거겠지.

들어줄게요.

이것은 이 사람에 대한 후기일까요?

내가…

그러니까…
저, 이제 됐다

자살…
정부상담센터에서
일하고 있거든요.

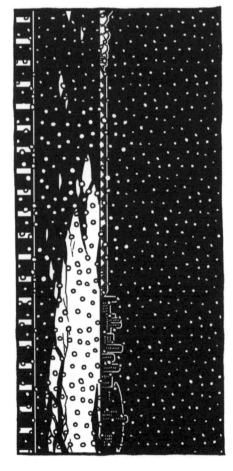

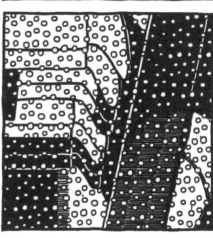

가치의 시간을 살아왔지만, 죽음이라는 하나의 길을 선택한 우리는

서로를 축하해 줬어요.

마지막을 함께한다는 기쁨에, 웃으며 손을 맞잡았죠.

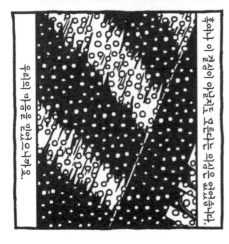

훗날 이 장면이 아닐지도 모른다는 의심은 없었습니다.

우리의 마음을 믿었으니까요.

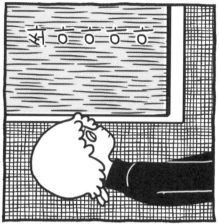

무엇이 당신을 두렵게 하나요?

혼자 살아남았다는 죄책감?

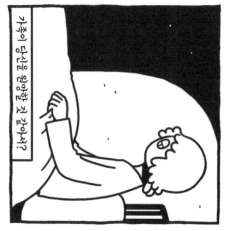

가족이 당신을 원망할 것 같아서?

그런 건 중요하지 않아요, 당신은 살아남았잖아요.

계속

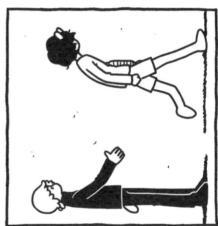

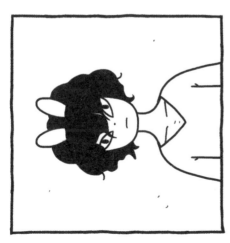

준비는 힘들어 1

빨리도 말한다.

그게 자살현장부에서 다 해주는 건데.

어제는 하드디스크를 꺼내어 전부 부쉈어. 옮기장도 태웠고.

좋아하는 물건도 내다 버렸지. 교복도 버렸어······

자살 준비하느라.

무슨 일 있니?

후우우. 요즘 너무 피곤해.

굿바이 프로젝트 2

밤비 글·그림

초판 1쇄 인쇄일 2018년 7월 3일
초판 1쇄 발행일 2018년 7월 13일

발행인 | 한상준
기획 | 윤정기
편집 | 김민정·윤정기·이지원
디자인 | 김경희
마케팅 | 강점원
편집 | 김혜진
종이 | 화인페이퍼
제작 | 제이오

발행처 | 비아북(ViaBook Publisher)
출판등록 | 제313-2007-218호(2007년 11월 2일)
주소 | 서울시 마포구 월드컵북로 6길 97(연남동 567-40) 2층
전화 | 02-334-6123 팩스 | 02-334-6126 전자우편 | crm@viabook.kr 홈페이지 | viabook.kr

ⓒ 밤비, 2018
ISBN 979-11-86712-83-2 04810
      979-11-86712-81-8 04810(세트)

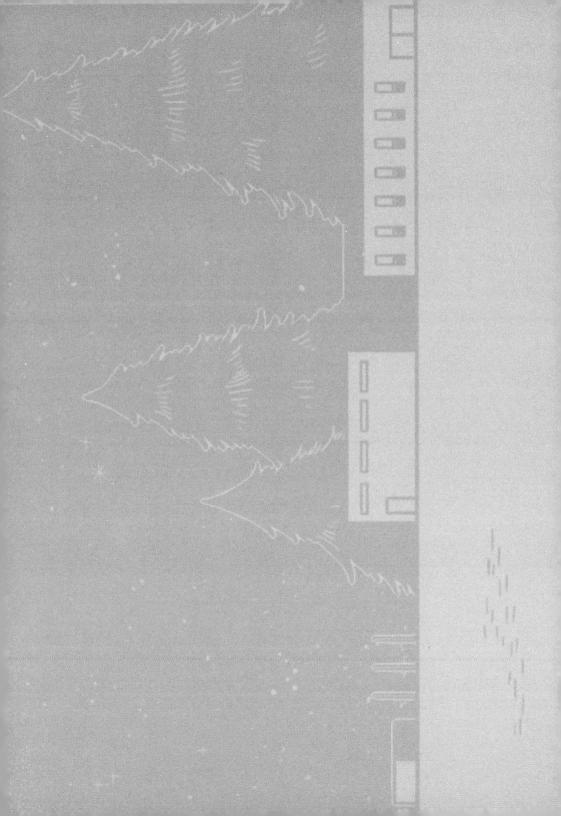